雨《あめ》が
ポツ《ぽっ》　ポツ《ぽっ》
ふり
出《だ》したかと
おもうと、みるみるうちに
ザーザー《ざーざー》ぶりに　なりました。
「こりゃ　いかん。」
おじいさんは　あわてて　ちかくの
ほらあなに　かけこみました。

雨《あま》やどりを
している
うちに、
おじいさんは
ねむってしまいました。
ガヤガヤ《がやがや》 さわぐ こえに 目《め》を さ
ますと、もう よるに なって います。
そとを のぞいた おじいさんは、
びっくり ぎょうてん！

なんと、
ほらあなの
まえの
ひろばで、
おにたちが　たき火《び》を
かこんで　ごちそうを　たべ、おさけ
を　のんでいたのです。
「ひゃー！　えらいことじゃ…！」
おじいさんは　ふるえ出《だ》しました。

そのうちに、
おにたちは
手《て》びょうしに
あわせて
おどり出《だ》しました。
ドーン《どーん》 ドン《どん》。 たいこを うつ 赤《あか》
おに。ピーヒャラ《ぴーひゃら》 ピーヒャラ《ぴーひゃら》。 ふえ
を ふく 青《あお》おに。 どの おにも か
らだを ゆすって たのしそうです。

　こっそり
見《み》ている
うちに、
おじいさんも
なんだか
たのしくなってきました。
からだが　ひとりでに　うごき出《だ》し、
手《て》びょうしに　あわせて、ひょこ　ひょ
こ　おどり出《で》て　いきます。

「なんだ！　こいつは。」

いきなり　あらわれた　おじいさんに、おにたちは　おこり出《だ》しました。でも、うたや　おどりの　大《だい》すきな　おじいさんの　からだは　とまりません。

「そうれ　おどれや。やあれ　ほい。」

おじいさんの　ゆかいな　おどりに、いつのまにか　おにたちは　手《て》を　たたいて　大《おお》わらい。

「もっと　おどってくれ！」

おじいさんと　おにたちは、いつまでも　うたい　おどりつづけました。

やがて、
どこかで
にわとりの
なく
こえが　しました。
「やあ、もう　あさが　きたぞ。」
赤《あか》おにが　みんなに　いいました。
「あしたの　よるも、じいさんに　おどってもらおうじゃないか。」

「おう！
じゃあ
わすれずに
くるよう、
じいさんの　大《たい》せつな
ものを　あずかっておこう。」
青《あお》おにの　ことばに、おじいさんの
かおも　青《あお》くなって…。たきぎも　そ
まつな　ふくも、大《たい》せつな　ものです。

しんぱい
そうな
おじいさんの
左《ひだり》の
ほっぺたで、こぶが
ユ《ゆ》ラ《ら》 ユ《ゆ》ラ《ら》。
「うむ。その こぶが いい。」
そう いうと、おには こぶを ひょ
いと とってしまいました。

おにたちが
山《やま》おくへ
かえって
しまうと、
おじいさんは　すべすべの
左《ひだり》の　ほっぺたを　なでてみました。
「ほう！　かるくなったわい。」
おじいさんは　たきぎを　せおって、
すたすた　村《むら》に　かえりました。

いえに
かえると、
おじいさんは
さっそく
おばあさんに　夕《ゆう》べの
できごとを　はなしました。しんぱい
していた　おばあさんも、おじいさん
の　こぶが　とれて　大《おお》よろこび。
「とても　すてきに　なりましたよ。」

そのはなしをきいたとなりのおじいさんも　うれしくなりました。おじいさんは　右《みぎ》の　ほっぺたに　こぶが　あったからです。

「どれ、こんどは　わしも　じゃまなこぶを　とってもらおう。」

右《みぎ》の
ほっぺたに
こぶの
ある
おじいさんは、　おしえて
もらった　ほらあなで　まって　います。
やがて　月《つき》が　出《で》たころ、　おにたち
が　ガヤガヤ《がやがや》と　やってきて、　ごちそ
うを　たべはじめました。

そのうちに、
きのうと
おなじ
ように
うたや　おどりが
にぎやかに　はじまりました。
「そろそろ　出《で》ていかないとな…。」
おじいさんは　こわいのを　がまん
して、ほらあなから　とび出《だ》しました。

「やあ、
まってたぞ！」
　大《おお》よろこびで
手《て》を
たたく　おにたち。
　でも、この　おじいさんは、うたも
おどりも　大《だい》きらい。もう　ながい
こと、わらうことも　わすれてしまっ
た　おじいさんなのでした。

むりやり　うたいはじめると　こえが　ふるえ、おどれば　足《あし》が　もつれます。とうとう　おじいさんは　しりもちを　ついてしまいました。おにたちは　しーんとして　います。

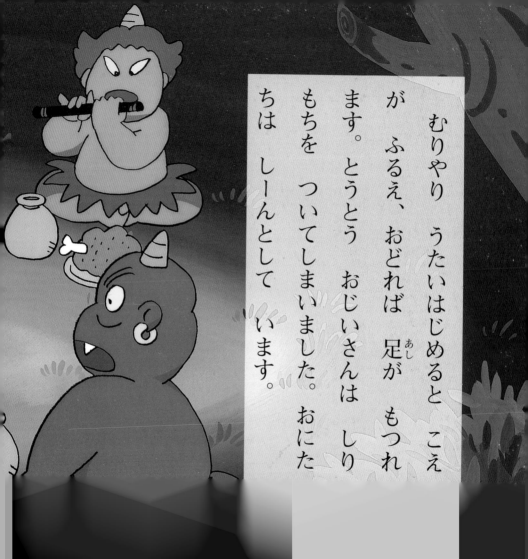

「もう
やめろ！
とっとと
かえれ！」
　とうとう
おにたちは　おこり出《だ》しました。
「これを　かえすから、かえれ！」
そして、左《ひだり》の　ほっぺたに　こぶを
つけてしまったのです。

りょうほうの
ほっぺたに
こぶを
つけて、おじいさんは
しょんぼり　村《むら》に　かえりました。
「ああ、よけい　おもくなった。」
こぶの　とれた　おじいさんは　それを　見《み》て、気《き》のどくで　じっとして
いられなくなりました。

「そうら、
やれ
ほい！」
　おどりの
うまい　おじいさんは、
となりの　おじいさんの　まえで、お
どり出《だ》します。むっつり　見《み》ていた
となりの　おじいさんは、なんだか
おかしくなって、とうとう　大《おお》わらい。

こんなに おなかの かわが よじれるほど わらったのは、 なん十年《じゅうねん》ぶりでしょう。 すると あんまり こぶが ゆれたので、 ポロリ《ぽろり》 ポロッ《ぽろっ》。 となりの おじいさんの こぶは 二《ふた》つとも とれてしまいました。

となりの　おじいさんは　うたや
おどりが　大《だい》すきに　なりました。
そして　おどりの　うまい　おじい
さんと　二人《ふたり》で、うたって　おどって、
みんなを　たのしませました。